MEIN GESCHICHTEN-HEFT

ZUM SELBSTGESTALTEN

Dieses Buch gehört:

Die Pyjamaparty

Heute feiern wir eine Pyjamaparty!
Ana und ihre Freundinnen ziehen sich
dafür ihre schönsten Schlafanzüge an.

Der Karneval

Heute ist Karneval! Als was verkleidest du dich?
Als Prinzessin? Als Eule? Oder setzt du einfach eine hübsche Maske auf?

Unser Urlaub am Meer

Wir verbringen die Ferien am Meer!
Machen wir einen kleinen Spaziergang, bevor wir baden gehen?

Der Sport

Wollen wir ein bisschen Sport machen? Also los!
Rein in die Trainingssachen, und auf geht's!

Was gibt es im Herbst Schöneres, als in den Wald zu gehen und in Pfützen zu springen? Also schnappt euch die Gummistiefel und die Regenjacken!

Der Herbst

Die Vorstellung

Vorhang auf! Jeder führt sein Kunststück vor … in einem Kostüm!

Der erste Schultag

Nach den Ferien bringen alle ihre neuen Schulsachen mit
und machen sich schick. Was ziehst du an?

Im Frühling scheint die Sonne, und auf den Wiesen wachsen Blumen.
Hast du Lust auf ein Picknick?

Der Frühling

Als was verkleidest du dich, um am Abend Süßigkeiten zu sammeln?
Gehst du als Hexe, oder willst du ein Kürbis sein?

Im Winter

Es hat geschneit, und alles ist unter einer weißen Decke verschwunden …
Da ziehen wir uns warm an, mit Mütze, Schal und Handschuhen.
Auf zur Schneeballschlacht!

Der Ball

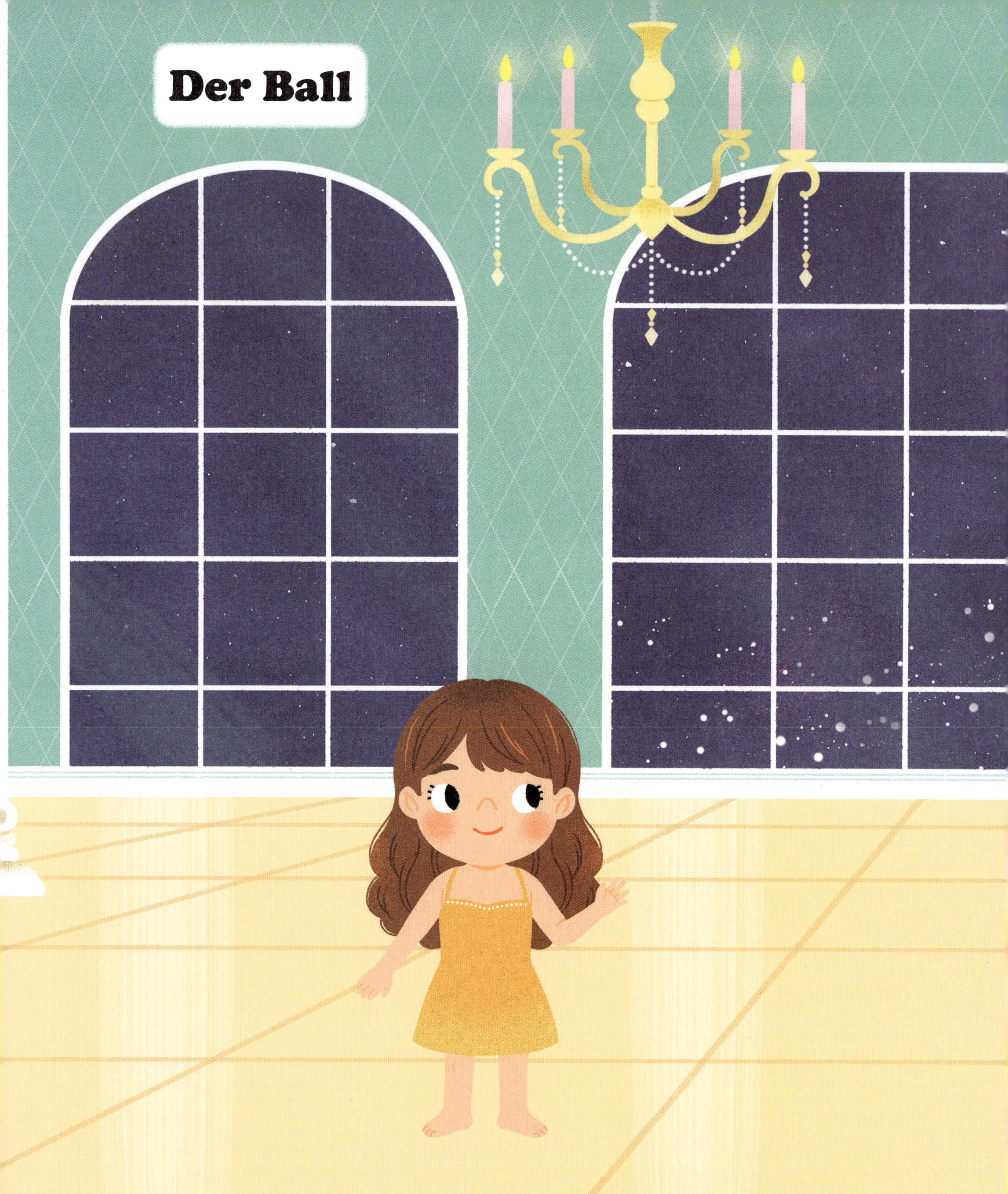

Für den großen Ballabend haben sich alle fein gemacht!
Welches schöne Kleid und welchen schicken Anzug wählst du zum Tanzen?

ILLUSTRATIONEN VON YI-HSUAN WU

Die Vorstellung

Der Herbst

Der Sport

Unser Urlaub am Meer

Der Karneval

Die Pyjamaparty

Der Ball

Im Winter

Heute ist Halloween!

Der Frühling

Der erste Schultag